L'immigration expliquée à ma fille

DANS LA MÊME COLLECTION

Tahar Ben Jelloun
Le Racisme expliqué à ma fille
1998

Régis Debray
La République expliquée à ma fille
1998

Max Gallo
L'Amour de la France expliqué à mon fils
1999

A paraître

Jacques Duquesne
Jésus expliqué à mes petits-enfants

Sami Naïr

L'immigration expliquée à ma fille

Éditions du Seuil

ISBN 2-02-035453-5

A la mémoire de Christian Telfser

Ma fille m'a longtemps suivi dans mes tribulations. Je la portais sur mes épaules dans les manifestations antiracistes des années 80 ; elle croyait qu'elle était à la fête. Quand elle a découvert que je consacrais beaucoup de temps à guerroyer sur l'immigration, sur la vie de ces femmes, de ces hommes, de leurs enfants, qu'un destin implacable avait placés au cœur des querelles françaises, elle a cru que j'en faisais une obsession – alors que c'était ma croix. En 1995, 1996, 1997, elle était de toutes les batailles sur la question. Il m'a fallu y mettre le holà, lui faire admettre que les mathématiques, la physique et la chimie, c'était aussi nécessaire pour comprendre le monde. Militante sans le savoir au début, d'une vigilance active après l'adolescence, elle juge et me juge. Elle veut des explications et des comptes. Et, pour ne pas désavouer l'enthousiasme de ses seize ans, elle ne pardonne rien. Le plus troublant, pour elle, c'est de m'entendre aujourd'hui tenir un discours dont elle sait bien qu'il n'est pas contraire à celui d'hier, mais dont elle sent bien qu'il est devenu justificateur. Avant, lui dis-je, je luttais contre des lois dangereuses pour les étrangers et les immigrés. Maintenant, je défends une loi, celle du 11 mai 1998, face à ceux qui voudraient plus – mais il est difficile de faire plus. Quand la gauche a remporté les élections de juin 1997, je n'imaginais pas que je devrais m'occuper activement de cette affaire. Mais lorsque l'occasion s'en est présentée, je n'ai pas hésité un seul instant : la vérité de l'engagement ne se juge pas aux paroles, mais aux actes. J'ai dû apprendre à voir aussi les choses de l'autre côté du miroir. Ma fille, me direz-vous, que pense-t-elle de tout ça ?

Elle ne veut pas attendre : le racisme existe toujours, il y a encore des « sans-papiers ». Et moi, je suis désormais tenu de lui expliquer que le tableau n'a pas qu'une seule face, comme celui du peintre. Il faut le regarder de tous côtés en même temps, et agir avec délicatesse. Je défends loyalement une politique, je participe aussi avec d'autres à la mise en place de quelque chose de nouveau en matière d'immigration. Je préfère les colères de ma fille au scepticisme de ceux qui ne veulent pas croire qu'on peut innover dans ce domaine. Ni du côté du manche, ni du côté de la lame, je voudrais qu'on arrête de jouer au couteau avec l'immigration.

Ce mot d'*immigration*, simple et si complexe à la fois, est insondable.

« Dis, Papa, on peut quand même en discuter un peu ? »

Qu'à cela ne tienne : commençons [1] !

1. Mes remerciements vont à Jean-Claude Guillebaud, Régis Debray et Patrick Quinqueton qui m'ont fait bénéficier de leurs judicieuses remarques – sachant, bien évidemment, que ce livre n'engage que moi-même.

Immigré, étranger, clandestin

– On ne sait plus qui est qui, dit-elle. On parle d'*immigrés*, de *clandestins*, de *seconde génération*. Mais ce sont toujours les mêmes qui sont visés. Ceux qui sont différents. On ne les rate pas. On dit que l'immigration est un problème. Mais quand je pense à mes copains de classe, « *différents* », je ne vois pas où est le problème.

– Il ne faut pas te fier aux on-dit ! Chaque mot, en la matière, a un sens précis. Il correspond à une situation réelle, que la loi définit. Nous sommes tous, d'une certaine façon, impliqués par la loi : Français, étrangers, immigrés, clandestins ou irréguliers.

– Dans la rue, c'est du pareil au même !

– Justement, ce n'est pas du pareil au même. L'immigré installé en France normalement, c'est celui qui a une carte de séjour, ou temporaire ou de longue durée (carte de dix ans renouvelable automatiquement). Il a le droit de travailler, de bénéficier des droits sociaux, etc. Il est dans une situation comparable à celle du citoyen français, sauf que, parce qu'il est étranger, il n'a pas le droit de vote.

– Et comment devient-on normalement « installé » ? Cela n'a pas l'air facile. En plus, ce n'est pas marqué sur la tête des gens ! C'est peut-être pour ça qu'il y a autant de contrôles policiers...

– Eh bien, les règles de séjour sont très précisément définies par la loi. Je n'entrerai pas ici dans le détail. Sache seulement que ce titre de séjour doit correspondre aux besoins du pays d'accueil, en l'occurrence la France. L'immigré dispose aussi de la *liberté de circulation* dans l'espace « Schengen », c'est-à-dire dans les pays européens qui ont signé les accords sur l'immigration dans la ville de Schengen en 1991, concernant l'entrée et la circulation des étrangers dans l'Union européenne.

– A entendre la presse, Papa, on dirait qu'il n'y a que ça en France, des immigrés !

– Ils sont environ 3 millions et demi aujourd'hui. Mais ils sont légalement et souvent durablement installés. Être immigré, c'est avoir quitté l'endroit où l'on est né pour vivre dans un autre endroit. Tu vois bien d'ailleurs que cette expérience ne concerne pas seulement les étrangers. A l'intérieur même de chaque pays, les gens se déplacent : par exemple, ils quittent les campagnes pour travailler dans les villes, c'est l'exode rural. Au XIXe et tout au long du XXe siècle, la France a connu ces migrations. Certaines régions du pays se sont ainsi progressivement vidées de leurs habitants. Lorsqu'une personne quitte son pays pour s'installer dans un autre pays, on dit qu'elle *émigre*. Une fois installée dans son nouveau pays d'accueil, elle devient *immigrée*. C'est la différence entre l'émigrant et l'immigré.

– Mais alors, quelle est la différence entre être étranger et être immigré ?

– Ce n'est pas simple, en effet. L'étranger, c'est une personne qui ne possède pas la nationalité française, vient en France et en repart. La France n'est pas une forteresse interdite à la circulation des gens du monde entier. Ce serait d'ailleurs contraire à la loi internationale, qui considère la liberté de circulation comme un droit de l'homme. Si l'étranger décide de rester en France, il devient immigré. Mais il ne peut prendre seul cette décision. La loi du pays d'accueil fixe les conditions d'installation. Celles-ci obéissent à plusieurs règles : le fait, par exemple, qu'elle autorise ou interdise l'accès au marché du travail. Avant 1974, un étranger pouvait devenir immigré s'il trouvait du travail. Il s'installait facilement en France en toute légalité. Depuis 1974, le marché du travail, à cause de la crise économique, est quasiment fermé aux étrangers. Un petit nombre de travailleurs seulement, venant d'Afrique, du Maghreb, d'Asie ou d'Amérique continue d'entrer légalement chaque année pour travailler dans des secteurs où l'on en a besoin (hôtellerie, restauration, services sociaux, commerce, informatique, enseignement pour les travailleurs permanents, agriculture pour les travailleurs saisonniers). Ils sont très peu nombreux, à peine plus de 5 000 travailleurs permanents en 1995.

– Donc, l'immigration s'est presque arrêtée !

– Non. Elle a continué, mais sous d'autres formes. Par exemple, les femmes et les enfants sont venus rejoindre leur mari ou leur père. Car la loi reconnaît à l'immigré installé en France depuis au moins un an, je te l'ai déjà dit, le droit de faire venir sa femme et ses enfants. C'est ce que l'on appelle le *regroupement familial*. Ceux qui, dans leur pays d'origine, étaient persécutés en raison de leurs opinions ou de leur lutte pour la liberté ont continué à chercher refuge en France. Ce sont les *demandeurs d'asile*. Des immigrés restés illégalement sur le territoire français ont été *régularisés* en 1975 puis en 1982. Toutes ces personnes ont continué à former l'immigration…

– Donc, elle continue !

– Non. Même avec le regroupement familial, les demandeurs d'asile et la légalisation de la situation des immigrés en situation irrégulière, le nombre global des immigrés n'a pas varié depuis les années 30. En France, la population étrangère représente aujourd'hui un peu plus de 6 % de la population totale, alors qu'en Allemagne c'est plus de 8 %, en Belgique 9 % et en Suisse 16 %.

– Mais ça ne concerne que ceux qui sont légaux. Et les autres ?

– Ils sont aussi prévus par la loi. Le *clandestin* – je n'aime pas ce mot, je lui préfère celui d'*illégal* – est celui qui franchit la frontière de son pays illégalement et qui entre en France illégalement. Sans autorisation. Il n'a respecté ni la loi de son pays ni la loi française sur l'entrée des étrangers. On appelle cela une infraction à la loi. Des exemples ? Les Portugais, avant 1974, étaient nombreux à franchir clandestinement les Pyrénées (d'abord la frontière portugaise, puis la frontière espagnole et enfin la frontière française) pour venir travailler en France. Aujourd'hui, cela peut être le cas des Africains, des Asiatiques ou des ressortissants des pays de l'Est. Les Africains embarquent souvent – au péril de leur vie – sur des bateaux ou des barques de fortune à Tanger, au Maroc. De là, ils traversent le détroit de Gibraltar. Il y a même des organismes de passeurs clandestins qui les font payer cher pour cette traversée. Ces organismes sont illégaux. Il leur arrive pourtant de travailler avec la complicité des États concernés. Ce n'est pas légal, mais ça peut rapporter de l'argent ou servir d'autres intérêts de ces États. Par exemple, jusqu'en 1986, il y avait une organisation internationale de passeurs qui, avec des moyens financiers très importants, les services d'une compagnie aérienne de l'ancienne République démocratique allemande et la complicité de ce même pays, faisait passer en Allemagne de l'Ouest des travailleurs venus d'Inde et de Turquie ! Au début des années 80, des dizaines de milliers de personnes sont ainsi arrivées en Allemagne. Mais ne va pas croire que les véritables clandestins sont majoritaires lors des procédures de régularisation. Ils sont en réalité peu nombreux car, souvent, les personnes qui ont besoin d'être régularisées sont des immigrés irréguliers, à ne pas confondre avec les clandestins !

– Parce qu'il y a encore une différence ? Il faudrait une loi plus simple, sinon on ne s'en sortira pas.

– Ce n'est pas la loi qui est compliquée. C'est la réalité. La loi essaie de prendre en compte une variété infinie de situations. S'il en était autrement, tu serais la première à dire que la loi est trop dure !

– Mais elle l'est. Car il y a beaucoup d'immigrés qui disent qu'on ne leur reconnaît pas le droit de devenir réguliers. Je t'ai même entendu dire que la loi a *fabriqué* des irréguliers. Moi, je crois plutôt que lorsque ça nous arrange on dit qu'ils sont réguliers et, dans le cas contraire, qu'ils sont irréguliers. Remarque, je comprends ça, car après tout ils viennent en France. Ce n'est pas nous qui les faisons venir.

– Ce n'est pas aussi simple. L'immigré irrégulier, c'est celui qui a quitté son pays *légalement*, qui est entré en France légalement, mais qui est resté en France au-delà du délai autorisé par son titre de séjour. Pour entrer en France, il faut un visa. C'est-à-dire l'autorisation délivrée par l'ambassade de France dans le pays de l'immigré. Il y a d'ailleurs plusieurs types de visas. Par exemple, un étranger entré en France avec un visa de *touriste* et qui, à l'expiration de son visa, continue à vivre en France, en y travaillant éventuellement, devient irrégulier. Entre 1945 et 1974, la majorité des travailleurs étrangers est entrée et restée en France de cette manière. Depuis 1974, beaucoup de gens se retrouvent dans cette situation qui n'est bonne ni pour eux ni pour la société. Eux se retrouvent sans droits, sans aucune protection de la loi. Au moindre contrôle d'identité, ils risquent l'expulsion, ils ne possèdent plus aucun papier pour se loger, s'inscrire à l'Université ou postuler normalement à un emploi. Sur le marché du travail, ils sont sans défense ; les employeurs peuvent les exploiter en leur donnant des salaires plus bas que ceux des travailleurs en règle. Ils coûtent moins cher. L'État cherche parfois à lutter contre cela. Il entreprend ce qu'on appelle une *régularisation*. En 1974, on en a régularisé 130 000. En 1981-1982, à peu près autant. Aujourd'hui, avec la circulaire du 24 juin 1997, la régularisation en cours va aboutir à un chiffre sans doute moins important : on parle de plus de 80 000 régularisables sur 150 000 demandes. Tous les pays riches (et la plupart des pays pauvres) sont confrontés à cette situation. On estime à environ 10 à 15 millions le nombre d'irréguliers et de clandestins dans le monde. Les USA en comptent entre 3 et 5 millions ; l'Europe occidentale, plusieurs millions, les pays d'Europe de l'Est aussi. En Afrique du Sud, ils sont environ 1 million, au Nigeria plus de 2 millions, etc. Il ne faut pas s'effrayer de cet état des choses : l'immigration, clandestine ou irrégulière, a toujours existé. Elle joue un rôle important pour les pays qui, comme l'Italie ou l'Espagne aujourd'hui, ont besoin d'une main-d'œuvre bon marché. Leurs entreprises ne veulent plus employer des travailleurs nationaux à des prix élevés et avec des charges sociales lourdes. L'immigration clandestine arrange beaucoup de monde !

La longue histoire de l'immigration en France

– Tu vois, on porte aujourd'hui un jugement trop rapide sur l'immigration. Sans vouloir tenir compte du passé. Au cours de ce siècle, la France a fait appel aux étrangers pour deux raisons essentielles : démographique et économique. La Première Guerre mondiale a fait d'innombrables morts : près d'un million et demi d'hommes valides tombés sur le champ de bataille. D'où l'appel à l'immigration. Tu ne sais peut-être pas que, dès 1915, en pleine guerre, la France mettait en place une politique destinée à attirer la main-d'œuvre, à la fois pour répondre aux besoins de l'effort de guerre et puis, dès 1918, pour la reconstruction de la France dévastée.

– Les colonies, ça servait aussi à ça, tu me l'as déjà dit.

– Pas seulement, mais, c'est vrai, à ça aussi ! Avant les années 30, les étrangers venaient surtout d'Europe. De 1919 à 1930, l'immigration est massive. Puis ça s'arrête en 1932, à cause de la crise économique. Les étrangers, hier convoités, deviennent subitement des intrus ! Un peu comme aujourd'hui. On les rejette. C'est l'époque où le racisme contre les Italiens, les Espagnols, les Polonais est très virulent. Il se transforme d'ailleurs en lois d'exclusion contre les étrangers. Ces lois seront abrogées par la célèbre ordonnance de 1945 qui, pour reconstruire la France, veut réglementer la venue des nouveaux immigrés. On crée alors l'Office national d'immigration (ONI) puis, en 1952, l'Office français pour les requérants d'asile (OFPRA), suite à la Convention internationale de Genève sur l'asile.

– Mais aujourd'hui on ne parle que des Arabes et des Noirs ! Il n'est plus jamais question des Belges et des Polonais. On ne parle des Espagnols ou des Portugais que pour dire qu'ils sont très souvent femme de ménage ou concierge, et des Italiens parce qu'ils sont encore plus racistes que les Français. Pourquoi ?

– Entre 1945 et 1974, c'est vrai que l'immigration s'est diversifiée : Algériens, Portugais, Marocains, ressortissants d'Afrique noire et d'Asie du Sud-Est. Mais peu importe les pays de provenance, ils finissent tous, quelle que soit leur nationalité, par devenir citoyens du pays d'accueil.

– Ce n'est pas ce que je vois. Cette fois-ci, ça a l'air de bloquer.

– Cela dépend de nous tous. On ne résoudra pas ce problème seulement avec de bonnes intentions. Il y faut de la générosité, de la raison et de bonnes lois. Et du travail pour tous. Tout semble se passer comme si les Français voulaient seulement prendre le temps. Le temps d'intégrer les nouveaux venus. Le temps de résoudre les problèmes économiques et sociaux.

– Tu veux dire que les étrangers et les immigrés sont responsables de tout ça ?

– Je n'ai pas dit ça. Je sais que certains le disent. Je sais aussi que beaucoup finissent par le croire, parce qu'ils vivent dans des conditions difficiles, avec des voisins qui n'ont pas les mêmes mœurs ni, parfois, la même couleur de peau. C'est tellement facile de rejeter la faute sur celui qui est différent. Dans un troupeau tout blanc, on remarque d'abord le mouton noir. De là à dire qu'il est galeux, il n'y a qu'un pas.

– Moi, je crois que Français et étrangers devraient avoir les mêmes droits. On ne pourrait pas les opposer.

– Et les mêmes devoirs.

– D'accord, mais tu dis que depuis le début de la crise économique, en 1974, l'immigration est devenue le bouc émissaire de la société. Qu'est-ce qu'on a fait pour éviter ça ?

– En 1974, la France, comme la plupart des pays de vieilles immigrations, a décidé de ne plus accueillir autant de travailleurs étrangers. Pas pour le plaisir. Le chômage commençait à pointer son nez. Cela ne signifiait pas que les étrangers ne pouvaient plus venir en France. Cela signifiait seulement que la majorité d'entre eux ne pouvait plus y venir pour s'y installer et occuper un emploi. C'est comme ça : chaque pays pense d'abord à ses citoyens. Mais cela ne voulait pas non plus dire que les travailleurs étrangers, installés en France avant cette date, n'avaient plus le droit d'y demeurer, et d'y travailler. Par leur travail, ils avaient contribué au bien-être de tous les Français.

– C'est pour ça qu'on dit que les immigrés font le travail dont les Français ne veulent pas !

– C'est sans doute peu élégant, mais c'était cela. Qui trimait dans les usines Renault, Peugeot, Simca ? Qui construisait des immeubles et asphaltait les rues ? Qui servait d'employé de maison, ramassait les ordures ? L'immigré ! Et puis les usines se sont modernisées, la construction aussi, et la main-d'œuvre n'est plus aussi indispensable qu'avant. Quant aux employés de maison, à la propreté des rues…

– Les immigrés y sont encore. En tout cas, on les voit plus là que dans les bureaux !

– C'est vrai. Reste que beaucoup se sont fondus dans la société française, même s'ils sont plus touchés par la crise que les autres.

– Mais ce qui saute aux yeux des gens, ce n'est pas qu'ils ont plus de difficultés à trouver du travail ou à gagner leur vie, c'est qu'ils sont à la recherche de travail alors que les Français eux-mêmes en manquent.

– Ce qui fait dire à certains que c'est à cause d'eux que le travail manque pour les Français ! Ne crois pas cela. Les transformations qui touchent aujourd'hui le monde du travail sont très compliquées. Il ne s'agit pas d'une simple question de nombre de postes de travail. Les immigrés ne sont pas devenus, subitement, la cause du chômage. Avec la crise, ils ont été les premiers à perdre leur emploi ou, pour les jeunes, à ne plus en trouver. Ce qui est certain, c'est qu'ils sont alors devenus un problème aux yeux des autres parce que le travail commençait à manquer.

– Peut-être, mais moi ce que j'entends, c'est : les immigrés doivent partir. Repartir…

– Ce n'est pas la bonne réponse. C'est vrai que certains politiciens, incapables de réduire le chômage, ont rejeté la faute sur les immigrés. Entre 1974 et 1981, ils ont parlé de retour dans le pays d'origine pour des travailleurs qui avaient sué sang et eau pour l'économie française. Ils ont même proposé de donner 10 000 francs pour chaque immigré qui accepterait de repartir dans son pays en libérant un poste de travail ! C'était injuste, irréaliste et idiot. Injuste parce que ces travailleurs avaient été attirés en France quand on en avait besoin et se voyaient rejetés dès qu'on n'en avait plus besoin. On ne voulait pas reconnaître qu'ils avaient contribué à la richesse de la France et qu'ils avaient gagné, ainsi, le droit de rester ici avec les mêmes avantages sociaux que les travailleurs français : on n'est pas dans une société esclavagiste, que je sache ! Irréaliste, parce qu'on ne voulait pas voir qu'ils avaient fait souche, étaient devenus des citoyens, partageaient les peines et les plaisirs, les joies et les deuils de la société française. Et que leurs enfants, nés en France, apprenaient à l'école qu'ils avaient eu un grand roi, Louis XIV, que leurs ancêtres avaient fait la Grande Révolution de 1789, au nom de la liberté et de l'égalité, que Napoléon était leur héros. Et puis, Victor Hugo ne les faisait-il pas pleurer de compassion pour la petite Cosette ? Bien sûr, les plus conscients tiquaient lorsqu'on évoquait la colonisation, mais après tout c'était aussi la vérité de ce pays. Et à ces parents, à ces enfants, on osait dire : repartez chez vous ! C'était aberrant. Et puis idiot, aussi : car ils ne repartiraient pas, puisque leur pays, c'était la France, la ville, le quartier, l'école dans lesquels ils avaient grandi. Doublement idiot, puisqu'on voulait faire d'eux à tout prix des étrangers, alors qu'on aurait dû tout faire pour qu'ils se sentent fiers d'appartenir à ce pays. Triplement idiot, puisqu'on les poussait à se chercher ainsi une identité, à trouver des racines dans le pays de leurs parents, pays que ces mêmes parents avaient dû abandonner pour fuir la misère. Tout ça n'a mené à rien. Ils ne sont pas repartis. Et ils avaient raison. Il est normal qu'ils défendent le droit de vivre ici. Ils sont de ce pays.

Et l'origine ?

– C'est bien beau, Papa, que les immigrés défendent leur droit de vivre ici et même de devenir Français. Mais doivent-ils alors renoncer à leur origine ? On ne peut pas, même lorsqu'on est Michael Jackson, renoncer à sa couleur !

– Attends. N'embrouille pas tout. Te me parles d'origine, de couleur, pourquoi pas de religion aussi !

– C'est ce qui m'intéresse. On en parle au lycée tous les jours !

– Vous parlez peut-être de cela, mais j'espère que tu sais qu'au lycée, on n'a pas le droit de jeter le discrédit sur quelqu'un en raison de sa couleur, de son origine ou de sa religion. Les lois de la République l'interdisent à juste titre.

– Dans la réalité, c'est autre chose. Tu es toujours dans tes livres, Papa. Tu devrais descendre un peu plus souvent dans la rue, aller dans les bistrots, écouter les jeunes…

– Je connais aussi bien que toi la rue. Et je ne t'ai jamais dit que les immigrés et leurs enfants devaient renoncer à leur origine, leur couleur et leur religion. Ce que je dis, c'est qu'être citoyen de ce pays n'a rien à voir avec ça. Je sais bien que dans la réalité c'est différent… Que lorsqu'un jeune issu de l'immigration se présente à un emploi, on le refuse souvent à cause de la couleur de sa peau, ou de son nom musulman, qui déplairait à la clientèle. Et c'est pareil pour le logement, pour beaucoup d'autres choses aussi. Mais c'est interdit par la loi. Il faut lutter contre ça, dénoncer sans relâche ces attitudes. On devient citoyen en faisant reconnaître sa citoyenneté par les autres, ceux qui vous la nient. Quant à la couleur, soyons sérieux ! Il y a des Français blancs, mais aussi bruns, jaunes, noirs. Et après ? Lorsque les soldats africains, algériens, marocains, ou tunisiens se faisaient faucher par les balles durant les deux guerres mondiales, pour défendre la France, crois-tu que leur couleur, leur religion ou leur origine comptaient ?

– N'empêche qu'aujourd'hui on parle d'Arabes et de Noirs, de musulmans et de juifs, mais jamais de cathos et de protestants, de Blancs et de...

– Doucement... Tu confirmes exactement ce que je m'évertue à t'expliquer. On ne parle plus de cathos ou de protestants, parce que ce ne sont pas des caractéristiques culturelles qui opposent les Français. Il en sera de même de l'islam si le musulman adapte sa religion aux valeurs de la République. Et si la République sait être juste en lui reconnaissant le droit d'être musulman en France.

– Il faut l'expliquer aux maires qui refusent aux musulmans les lieux de prière. Qu'est-ce que tu en penses ?

– Ça signifie que la République est méprisée. Voilà tout ! Mais, contrairement à toi, moi je crois que ça finira par s'arranger. Il y faudra du temps, de la patience et de la clarté dans la conception de la citoyenneté.

– D'accord, mais ce n'est pas cela qui empêchera de voir l'immigré à partir de son origine.

– Et après ! Crois-tu que la condition d'immigré est éternelle ? Et que l'origine est éternelle ? Comme tout le reste, l'origine change aussi : les mariages entre Français et étrangers donnent naissance à de nouvelles caractéristiques physiques, les mœurs, les façons de vivre, de se comporter, de s'habiller, etc., se transforment dès lors que les immigrés vivent assez longtemps en France et souhaitent y rester. Bien sûr, lorsqu'ils se sentent rejetés, ils peuvent aussi se replier sur eux-mêmes et sur leur culture d'origine. Mais si la société les accueille favorablement, ils chercheront à en faire partie le plus étroitement possible, en adoptant ses façons de vivre et sa culture. Pense aux Italiens, aux Polonais, aux Espagnols, aux Portugais.

– Oui, mais eux sont européens. Ils ont à peu près la même religion et, surtout, la même couleur de peau. J'ai entendu à plusieurs reprises des gens dire que les musulmans, les Noirs, les Asiatiques, c'était différent. D'ailleurs, même parmi ces immigrés, il y en a qui se disent différents.

– C'est vrai qu'il y a en France des gens, des partis politiques qui vous disent que eux, c'est-à-dire les Maghrébins, les Noirs, ce n'est pas pareil. Que les musulmans ne s'intègrent jamais, car leur religion les rend inassimilables. C'est avec de telles idées qu'on a fait la colonisation, et qu'on l'a d'ailleurs perdue ; qu'on fait aujourd'hui le jeu des racistes, et qu'on rend infernale la vie de tous. Et puis tu sais, quand les immigrés italiens arrivaient, il ne faut pas croire qu'ils étaient accueillis facilement ; et pourtant ils étaient catholiques ! Être Européen, qu'est-ce que c'est ? Où ça commence, où ça s'arrête ? L'Europe n'a cessé de changer de frontières. Est-ce une question de frontières ? Les Grecs, au Moyen Age, étaient considérés comme des Orientaux. Ils se veulent pourtant plus Européens que les autres, aujourd'hui. Et sont admis tels quels dans le club européen. Un Algérien qui parle français, lit français, rêve français est-il moins européen qu'un Italien émigré aux USA n'est américain ? Zinédine Zidane, l'étoile du foot, on le présente partout comme un joueur français. Et comme il joue à Turin, en Italie, on dit qu'il est européen ! On s'arrange parfois facilement de l'origine, n'est-ce pas ? Quant à ceux qui, immigrés, veulent faire prévaloir leur origine, on ne peut pas le leur interdire. Rechercher l'origine correspond souvent à une interrogation individuelle, lorsqu'on ne sait plus très bien où l'on en est avec soi-même, et ce que l'on veut. Ce n'est pas condamnable en soi. Ça le devient lorsque par là on s'exclut ou on en est exclu par les autres. Mais il ne faut pas faire de cette recherche un fossé infranchissable. D'ailleurs, pourquoi est-ce devenu un problème ? Dans les années de plein emploi, tu crois que les entreprises regardaient l'origine des travailleurs ?

Devenir français

– Je suis sûre, dit-elle, que si les immigrés devenaient français, le racisme contre eux serait moins fort. Ils pourraient se servir de leurs droits en tant que Français pour se défendre, tu ne crois pas ?

– La nationalité française, ce n'est pas seulement un morceau de papier. Bien sûr, elle donne des droits. Mais elle ne prémunit pas contre le racisme. Ce sont des choses tout à fait différentes. Tant qu'à devenir français, il vaut mieux le faire quand on se sent vraiment appartenir à ce pays. C'est une affaire non pas de droits, mais de *volonté*. Elle n'est pas, d'ailleurs, très difficile à acquérir. La France reste l'un des pays les plus généreux d'Europe en la matière. Tu sais qu'entre 1910 et 1954, en dépit des catastrophes de deux guerres mondiales et de crises économiques graves, la part d'étrangers choisissant de devenir français a doublé. En 1954, elle représentait un tiers de la population étrangère et elle est restée stable jusqu'à aujourd'hui. Et quel que soit le pays d'origine, le nombre de femmes acquérant la nationalité est plus élevé que celui des hommes.

– Pour une fois qu'on favorise les femmes…

– C'est facile à dire. Mais l'intégration des femmes favorise réellement celle de la famille. La République, elle, ne distingue pas entre les sexes, les races, les confessions. L'acquisition de la nationalité concerne les personnes. Et celles-ci, aux yeux de la loi, sont de deux catégories différentes : les personnes venues de l'étranger vivre en France (quel que soit leur sexe), et les enfants nés en France dont les deux parents sont étrangers. Les premiers doivent demander la naturalisation, les seconds deviennent français automatiquement. En fait, il y a trois voies d'accès.

La *naturalisation* : l'étranger choisit, à un moment de sa vie, d'acquérir la nationalité française. La loi y met certaines conditions : il doit habiter en France depuis cinq ans au moins, y être légalement installé, ne pas avoir été condamné et accepter l'environnement culturel français. Et puis il y a l'acquisition de la *nationalité par mariage* avec un(e) Français(e), après un an (en vertu de la loi du 4 mars 1998). L'étranger peut obtenir ce droit par simple déclaration devant les autorités publiques françaises – la mairie, par exemple –, après qu'il aura démontré qu'il est réellement marié.

Enfin, pour les enfants nés en France, le *droit du sol*, c'est-à-dire le droit, parce qu'on est né en France, de devenir français. Ce droit du sol ne va d'ailleurs plus de soi, aujourd'hui. La loi de 1993, dite loi Méhaignerie, l'avait modifié en le rendant beaucoup plus difficile à obtenir. Mais la loi actuelle, celle de mai 1998, le rétablit.

– On joue avec la loi, Papa. On autorise, on interdit, on réautorise, pourquoi toutes ces modifications ? Les gens ne savent plus à quoi s'en tenir. C'est l'angoisse !

– Tu ne saurais si bien dire : certains soutenaient qu'avec le droit du sol ces enfants devenaient français sans le savoir et sans le vouloir !

– Donc, c'est pour leur bien qu'on voulait qu'ils ne soient plus français de naissance ? C'est vrai qu'on peut voir les choses comme ça. Mais peux-tu me dire pourquoi on oblige des jeunes qui n'ont jamais connu d'autres pays que la France à exprimer leur volonté d'être français ? Et pourquoi ne pas le demander aussi à tous ceux qui sont nés en France ? On oblige certains à dire qu'ils veulent être français et d'autres non, c'est curieux.

– Et injuste. La loi introduisait, en 1993, une nouvelle règle : elle obligeait ces jeunes à manifester leur *volonté* de devenir français entre 16 et 21 ans, alors qu'avant ils étaient français de fait dès leur naissance et le devenaient de droit, automatiquement, à 18 ans, au moment de leur majorité. Dans la réalité, cette modification a eu des effets pervers : elle faisait que, jusqu'à ce qu'ils demandent la nationalité, ces enfants étaient étrangers, et en cas de condamnation – même mineure – la nationalité ou le titre de séjour leur était refusé. Adultes, ils pouvaient donc être expulsés vers leur prétendu pays d'origine, un pays dans lequel ils n'avaient jamais mis les pieds. Et surtout, les parents ne pouvaient plus se prévaloir de la naissance en France de ces enfants pour pouvoir, le cas échéant, eux-mêmes régulariser leur situation en France en obtenant un titre de séjour.

– Attends, Papa. Tu me dis d'abord que le fait de devenir français, ce n'est pas une affaire de papiers, qu'il y faut de la volonté. D'accord ? Et maintenant tu me dis : les enfants qui naissent en France, il est injuste de leur demander d'exprimer leur volonté de devenir français. C'est pas très cohérent, tout ça !

– C'est très cohérent. Mais il te faut comprendre *tout* le problème. Exprimer sa volonté, c'est nécessaire quand on veut se naturaliser, c'est-à-dire lorsqu'on n'est pas né en France, qu'on n'y a pas grandi, qu'on vient y habiter et qu'on veut devenir français.

Là, il n'y a pas d'autre moyen que la demande volontaire de naturalisation. D'accord ? Être français par le droit du sol n'est pas une affaire de volonté. C'est le droit qui dit : le territoire français se définit par des frontières, et tous ceux qui naissent dans ce territoire sont français. On n'a donc nul besoin de demander à chacun d'affirmer sa volonté d'être français à la majorité. En refusant ce droit aux enfants d'étrangers nés en France, la loi de 1993 introduisait ainsi une discrimination intolérable dans le droit français de la nationalité.

– Et ça aussi, ça a changé ?

– Oui. Avec la nouvelle loi du 4 mars 1998, le droit du sol est partiellement rétabli. Dès 13 ans, le jeune peut demander à devenir français, avec l'accord de ses parents, s'il réside en France depuis 5 ans. A 16 ans, il peut le demander seul, sans l'autorisation de ses parents, mais avec la même obligation de résidence. A 18 ans, il est français de plein droit à condition d'avoir résidé en France depuis au moins 5 ans à partir de l'âge de 11 ans. Et s'il ne le veut pas, il peut refuser cette nationalité pendant les 6 mois qui précèdent sa majorité et pendant une année suivant cette majorité.

– On pourrait peut-être faire plus simple. A l'étranger, c'est comme ça aussi ?

– Peu de pays pratiquent ce droit du sol. La Grande-Bretagne le fait. En Italie, le droit du sol existe, mais il est moins généreux qu'en France : l'enfant né sur le sol italien de parents étrangers peut devenir italien à sa majorité si ses parents résidaient déjà en Italie au moins 10 ans avant sa naissance ! Et par mariage, en Italie, ce n'est pas possible avant 3 ans de vie commune et 6 ans de résidence continue. En revanche, en Allemagne, il n'y avait que le droit du sang (le *jus sanguinis*). On était allemand parce qu'on avait du « sang » allemand, c'est-à-dire que l'on descendait de parents allemands. C'est pourquoi on disait que la nationalité allemande était de caractère « ethnique », biologique.

– Je ne savais pas que le sang pouvait déterminer la nationalité ! C'est curieux.

– Mais ça change. Le gouvernement allemand vient de proposer une loi qui adopte le droit du sol. Désormais, l'enfant né en Allemagne de parents étrangers est allemand de naissance. Mais ceci seulement si l'un des deux parents est né en Allemangne ou y est arrivé avant l'âge de 14 ans. C'est toujours compliqué – mais c'est une petite révolution dans le droit allemand.

Quant à l'Espagne, on n'y devient espagnol que par la naturalisation et la règle dominante est celle du droit du sang. En France, le droit du sang existe aussi. Il signifie qu'on est français dès lors qu'au moins un des parents est français. Mais ce droit du sang, qui fonde la nationalité en Allemagne, est, en France, un droit parallèle au droit du sol. D'ailleurs, on a même un double droit du sol, en France !

– Un seul ne suffit pas ? Décidément, ça m'a l'air aussi embrouillé que les différences entre clandestins illégaux, étrangers, immigrés, etc. De toute façon, je crois qu'il n'y a pas un vrai droit du sol, puisqu'on attend un certain âge pour le reconnaître aux gens. C'est pas très évident, Papa.

– Le droit est compliqué parce que la réalité est compliquée. Le droit exprime l'histoire réelle des sociétés. La France a un passé colonial important. Elle ne peut pas traiter les gens issus de ses ex-colonies comme le reste des étrangers. A leur égard, elle a des obligations héritées d'un passé commun. Combien de soldats coloniaux sont morts pour la France ? Combien d'immigrés issus de ses colonies ont contribué à la puissance économique, politique, culturelle de la France ? Des centaines de milliers de soldats, des millions de travailleurs ! C'est pourquoi la loi française, de 1889 à 1993, considère que l'enfant né en France mais de parents qui sont eux-mêmes nés dans un territoire qui appartenait à la France (Algérie, certains pays d'Afrique noire) devenait français sans aucune formalité. Il a ainsi un *double* droit à devenir français : d'abord parce qu'il est né en France (droit du sol), ensuite parce que ses parents sont nés dans un territoire qui appartenait à la France à leur naissance. Un enfant d'origine algérienne né en France après 1962 est français d'abord parce qu'il est en né en France et ensuite parce que ses parents étaient français avant l'indépendance de l'Algérie, en 1962 précisément. C'est donc pour l'enfant une garantie supplémentaire. Un peu comme s'il jouissait, lui aussi, comme tous les Français de souche nés en France, de la conjonction du droit du sol et du droit du sang ! Or, c'est aussi cela que les lois de 1993 avaient changé.

– Mais c'est quand même pas facile à comprendre, parce que les ex-colonisés, ils ne voulaient plus être français. Et le droit dit, si j'ai bien entendu, qu'ils peuvent l'être deux fois. C'est pas simple.

– Peut-être. Mais la France, en déclarant l'Algérie département français, plaçait ce pays au même rang que les Bouches-du-Rhône ou le Gard. On ne voulait pas reconnaître qu'il s'agissait d'une colonie. En même temps, c'est vrai que les Algériens voulaient être algériens, parce que le système colonial qui existait en Algérie ne leur reconnaissait pas à tous la condition de citoyens français. Le droit à la nationalité française, ils ne l'ont obtenu qu'après la Seconde

Guerre mondiale et il ne fut total qu'à partir de 1958 ! Il y avait là beaucoup d'hypocrisie. Le fait qu'on fasse bénéficier aujourd'hui les enfants, nés en France de parents algériens, eux-mêmes nés en Algérie française avant 1962, du double droit du sol, c'est quand même le signe qu'on reconnaît un lien particulier de fusion juridique entre les peuples, à certains moments de leur histoire. C'est pas si mal…

– Et les lois de 1993 ont donc mis fin à cela ?

– Oui. La loi supprimait le droit du sol pour les personnes nées en Afrique noire et limitait ce droit pour les enfants d'origine algérienne. Elle instaurait une condition nouvelle pour les Algériens : il fallait que les parents aient résidé régulièrement en France au moins 5 années avant la naissance de l'enfant. La nouvelle loi du 4 mars 1998 rétablit ce double droit du sol pour les enfants nés en France, à condition que leurs parents eux-mêmes soient nés en Algérie avant 1962. Elle revient donc à la situation antérieure. Pour ceux qui viennent d'Afrique noire, ils peuvent obtenir leur carte d'identité française à partir de l'âge de 13 ans. Je te le répète, la différence entre Algériens et Africains est liée à un fait historique : l'Algérie était un département français (comme le Var ou le Finistère) avant 1962. Les pays d'Afrique noire, bien que soumis à l'empire français, n'ont jamais été considérés comme des départements français. Mais ça, c'est encore une autre histoire !

– Donc, pour certains, devenir français, c'est plus facile que pour d'autres. Mais ce qui me paraît curieux, c'est que ceux qui peuvent le plus facilement devenir français, parce qu'ils y ont plus le droit, sont ceux qui ont le plus de difficultés à se faire accepter comme français. Je veux dire : les gens des ex-colonies. On dirait que la colonisation existe encore !

L'intégration

– Le racisme, Papa, qu'est-ce que tu en fais ? Les papiers ne servent à rien face au racisme. Combien de fois m'a-t-on dit qu'un tel ne trouvait pas de travail parce qu'il est noir, pas de logement parce qu'il est asiatique ou maghrébin. Pourtant, les gens sont français de nationalité. Une amie m'a raconté que sa mère a même été convoquée à l'entretien d'embauche, mais lorsqu'on l'a vue… Elle est noire. Mais quand on est français, ça devrait dire qu'on est respecté comme citoyen. Alors, comment peut-on expliquer ce racisme, les contrôles de police qui concernent souvent ceux qui paraissent étrangers à cause de la couleur de leur peau ?

– C'est ce que je te disais tout à l'heure : être ou ne pas être français et subir le racisme, ce sont des choses différentes, même si elles se rejoignent parfois. C'est toute la question de l'intégration. On peut être français de souche et ne pas être intégré à la société française : pense aux marginaux, aux exclus, aux pauvres. On peut ne pas être français de souche et être intégré à la société française : pense aux enfants des riches étrangers dans les écoles du XVIe arrondissement parisien, ils n'ont aucun problème. Ils sont servis sur un plateau ! Le mot : *intégration* est relativement nouveau dans le vocabulaire politique français. On n'en parlait pas avant les années 80. On l'a créé pour définir une situation nouvelle : celle d'étrangers installés régulièrement en France, qu'on voulait intégrer sans que cela signifie le mépris de leur origine, de leur culture et de leur religion. En somme, on désirait respecter la singularité de chacun. C'est, d'une certaine façon, un progrès de la citoyenneté en France : on respecte l'individu, ses contradictions, sa recherche personnelle. Pareil pour le respect des femmes et de tous ceux que l'intolérance menace. Mais l'envers de la médaille, c'est parfois le repli sur soi, l'individualisme et la difficulté de sentir qu'on appartient à la nation française. C'est comme ça.

– Bon, mais pourquoi, dans la réalité, on n'accepte pas les gens à cause de la couleur de leur peau ou à cause de leur nom ? Tout le monde est d'accord pour faire semblant...

– Précisément, tout le monde n'est pas d'accord. Et cela pour plusieurs raisons. D'abord on a tendance, en France, à confondre intégration et *assimilation*. Pour te décrire la chose de façon très simple : on considère que l'intégration, c'est le fait d'accepter les étrangers ou les immigrés en respectant leurs différences, alors qu'avec l'assimilation la société leur demande de renoncer à ces spécificités et d'adopter le plus rapidement possible les mœurs et les coutumes du pays. Ensuite, parmi les immigrés, certains refusent l'intégration totale, car ils redoutent de perdre leurs spécificités culturelle et religieuse. Enfin, il n'est pas dit que, dans la situation de crise économique qu'on connaît depuis bientôt 20 ans, les puissants qui dirigent l'économie aient vraiment envie de reconnaître des droits à ces immigrés régulièrement installés. Prenons d'abord la tradition française : tu connais le livre de Cavanna, *Les Ritals*. Il y explique comment il se faisait traiter de « sale rital » dans son quartier, et à l'école à cause de son nom, de l'accent de ses parents, etc. C'est qu'en France la tradition, c'est l'assimilation. On veut que tous soient pareils, on supporte mal les différences culturelles. Mais ne va pas en déduire que le Français est d'une intolérance méchante ! C'est une affaire bien compliquée que ce désir d'assimilation, cette volonté d'être tous pareils ! L'histoire de la formation de la nation française (c'est-à-dire de ce *Nous commun*, de cette volonté d'être ensemble, unis et attachés par l'amour d'une même terre) explique ce comportement. Aujourd'hui, on préfère parler d'intégration et non d'assimilation, parce qu'on veut respecter les différences culturelles des uns et des autres. Mais dans la réalité, les gens ne font pas la différence entre intégration et assimilation. On veut, en fait, la *ressemblance*.

– Donc, tu es contre l'assimilation ? Moi, je ne sais pas à quoi m'en tenir. D'un côté, je crois qu'il faut laisser les gens choisir ce qu'ils ont envie d'être, et de l'autre, je trouve normal que, quand on vit dans un pays, on devienne comme les autres. Au fond, il faut arrêter d'embêter les gens avec ça.

– Je crois que c'est un faux problème ! Toute l'histoire de France montre que l'assimilation est un processus lent mais inévitable. Il est d'ailleurs bon que les gens s'acceptent parce qu'ils ont le sentiment d'appartenir à une même patrie. Dans les faits, ce sont les droits sociaux (droit au chômage lorsqu'on a perdu son emploi, droit à l'assurance maladie, droit à la retraite, etc.) qui, en réalité, poussent les gens d'origine étrangère à s'assimiler aux valeurs républicaines. Aujourd'hui, l'assimilation aux valeurs françaises est déjà largement réalisée pour les enfants des immigrés. Reste la question de l'appartenance religieuse. L'arrière-fond culturel de la société française, c'est le christianisme catholique et protestant. Il y a aussi une tradition culturelle athée, c'est-à-dire des gens qui ne croient pas en Dieu, mais en l'homme et la raison. On les appelle parfois les rationalistes athées. Et puis il y a le judaïsme. Les juifs font aujourd'hui partie de cet arrière-fond culturel. Ils ont eu du mal à se faire accepter. Il y a même beaucoup de gens qui se déclarent encore antisémites. Mais, dans l'ensemble, le judaïsme est une composante de l'identité culturelle française. Et tout cela tient ensemble grâce à la laïcité, qui signifie que chacun est libre de croire à ce qu'il veut en privé, mais qu'aucun n'a le droit d'imposer sa religion à l'État. Les valeurs de l'État sont celles de la liberté, de l'égalité et de la raison. Aujourd'hui, la population française accueille des gens nouveaux : ils sont musulmans, bouddhistes, etc. Il faut apprendre à vivre ensemble. Les gens s'adaptent : il y a de plus en plus de francisation des noms ; les jeunes couples d'origine immigrée ont de plus en plus tendance à donner à leurs enfants au moins un prénom français. C'est normal. Mais ceci ne doit pas être une obligation. Chacun, dans sa vie privée, a le droit de vivre avec la culture qu'il veut. L'essentiel, c'est qu'elle soit en accord avec la loi républicaine. Par exemple, la polygamie ne sera pas acceptée en France, parce que la loi et la tradition culturelle s'y opposent. C'est normal aussi.

– Tu préfères l'assimilation, en somme ?

– Je dis qu'elle est inévitable. Il faut seulement qu'elle soit le résultat d'un choix libre. Voilà le point important. La société d'accueil doit tout faire pour la favoriser et ne pas blesser les gens dans ce lent processus, souvent psychologiquement douloureux. Car beaucoup parmi ceux qui cherchent l'assimilation sont encore insultés et méprisés à cause de leur origine différente. Pour un oui ou pour un non, on leur dit : « T'es pas français, avec un nom comme ça ! Retourne chez toi. » Comme tu le vois, l'assimilation n'est pas toujours peinte sur le visage ! Tu remarqueras que même les journalistes, lorsqu'ils écrivent sur une personnalité d'origine étrangère, pourtant française de nationalité, te disent : un tel, d'origine algérienne, marocaine, etc. Le regard est vraiment déformé. C'est comme ça. Il faut s'y faire. Ils ne le font pas méchamment. Parfois, c'est même pour dire : vous voyez, ces enfants que vous méprisez, ils sont de bons représentants de la France !

– C'est que l'immigration est mal vue. Il faut dire que leurs conditions de vie ne sont pas toujours enviables. Et puis, il y a aussi la délinquance, les bagarres…

– C'est un peu vrai. Les immigrés subissent de plein fouet le mépris du riche pour le pauvre, de l'installé pour le nouveau venu. Et même parmi les Français les plus pauvres, il y a une forte tendance à ne pas vouloir être comparés aux immigrés des banlieues, marginalisés et socialement délaissés. Figure-toi qu'au XIXe siècle les riches avaient le même mépris pour les travailleurs français, nouvellement venus des campagnes françaises. Tout au long du XXe siècle, les immigrés se sont ajoutés et ont même progressivement remplacé les ouvriers qui vivaient dans les quartiers populaires des villes. N'oublie jamais que les premières arrivées d'immigrés remplacent les paysans pauvres d'autrefois. Mais en plus, ce qui accentue la méfiance, c'est que ces nouveaux ouvriers méconnaissent souvent la langue, les bonnes manières de la société d'accueil. Et ils conservent parfois, du moins les parents, des attaches importantes avec le pays d'origine. Un historien français, Gérard Noiriel, a écrit un beau livre sur ce sujet : *Le Creuset français*[1]. Il y montre comment, dans les années 30, la population de Monceau-les-Mines s'amuse à commenter l'arrivée des Polonais et leur manière de vivre. On moquait « leur large culotte bouffante, leur tunique verdâtre d'un autre âge, leurs bottes et la casquette à visière de cuir rabattue sur le front ». A l'église, les Polonais suivaient l'office debout, ils n'osaient pas s'asseoir et tout le monde en riait. Et il ne faut pas compter sur leurs employeurs pour favoriser l'intégration. Eux, ils pensent surtout qu'ils ont besoin de nouveaux bras pour travailler. Et moins ces bras sont considérés comme des êtres humains avec des droits sociaux, mieux ça vaut ! L'exploitation est souvent impitoyable. Aujourd'hui, les employeurs qui utilisent l'immigration clandestine, donc sans droits reconnus, font la même chose.

– Mais on ne parle plus des Polonais aujourd'hui. Je suis sûr que si l'on disait aux Français qu'il y a eu une immigration polonaise qui leur a posé des « problèmes », ils ne le croiraient pas. C'est d'ailleurs à se demander si le problème, ce n'est pas nous-mêmes… En tous cas, les Polonais, on n'en parle plus !

– C'est qu'ils se sont fondus dans le creuset français grâce à l'école républicaine, aux syndicats, aux partis politiques qui les défendaient. Le patriotisme était également fort à l'époque, et l'on pouvait

1. Paris, Éditions du Seuil, 1988.

s'identifier à un pays qui vous apportait quelque chose.

– Mais tout ça existe encore, Papa !

– Pas comme avant. L'école, l'armée, l'usine intégraient les gens. L'école parce qu'elle éduquait les gens en français, leur apprenait réellement à lire et écrire, et leur transmettait une véritable culture nationale ; l'armée parce qu'elle forgeait le patriotisme de ces nouveaux venus ; l'usine parce qu'elle leur donnait du travail et, surtout, comme l'armée et l'école, renforçait le sens de la solidarité collective. En somme, ils devenaient français parce qu'ils étaient unis par les mêmes intérêts, les mêmes droits et les mêmes devoirs. Or, depuis le milieu des années 70, tout ça est en plein bouleversement. Le système économique français se transforme, les usines se modernisent, les machines remplacent les bras, l'emploi change et de nouvelles formes d'exclusion apparaissent. L'école républicaine, même si elle demeure forte, a des difficultés à s'adapter à cette nouvelle situation. Le travail ne parvient pas toujours à créer une identité professionnelle stable, il est de plus en plus précaire et incertain ; le patriotisme est dévalorisé par le contact avec la culture mondiale. On n'ose plus parler de patrie. Certains dirigeants eux-mêmes dénigrent parfois la nation, l'État, la « singularité » française. Cela fait ringard de dire : « J'aime la France parce que c'est ma patrie, j'aime ce pays parce qu'il m'a adopté, je préfère Ronsard et Bossuet aux séries B américaines, parce que je préfère les idées qu'ils défendent à la violence de Rambo ! »

– Bossuet, Papa ? Bien nostalgique, non ? Il vaut mieux venir du VIe arrondissement pour comprendre Bossuet et réussir à Louis-le-Grand que du XXe !

Ceux du XXe, on les compte sur le bout des doigts dans les lycées chic ! Les mômes des banlieues, on les voit surtout aux portes.

– C'est vrai. Les banlieues sont aujourd'hui devenues synonymes de pauvreté, de marginalisation, de violences, de haine, de drogue, de désespoir. Expression vivante de ce qu'on appelle la crise sociale…

– Mais pourquoi tant de violence ?

– Dans chaque incendiaire de voiture, il y a une tranche de vie contrariée. Cela n'excuse rien. Cela explique, voilà tout. Avant, il y avait les bidonvilles. Maintenant, il y a les « banlieues ». On disait « bidonvilles » parce que les immigrés habitaient dans des cabanes de fortune, aux toits de tôle et sans eau. Il leur fallait chercher l'eau avec des bidons. Maintenant, ils ont l'eau, l'électricité, habitent au vingtième étage, mais n'ont plus de travail.

– D'accord, avant ils en avaient, mais c'était des emplois durs… Aujourd'hui, ils n'en ont peut-être plus, mais c'est une situation assez générale. Tous ceux qui travaillent, c'est toi qui le dis, sont plus ou moins concernés, soit par le chômage, soit par de mauvais emplois, précaires, avec des horaires impossibles, mal payés.

– Bien sûr. Mais les immigrés sont encore plus que tous victimes du chômage. Excuse les chiffres, mais ils sont éloquents : 30 % des Africains sont au chômage. Entre 15 et 25 ans, on dit que ça tourne autour de 50 %. Deux fois plus que pour les jeunes Français du même âge. C'est encore une histoire de pauvres – aussi vieille que celle de l'humanité. Ils sont les nouveaux pauvres. De là l'inévitable tendance à la casse.

– C'est donc trop tard, pour ces jeunes ? Ceux qui se promènent en bandes et dont on voit immédiatement, dans le métro, qu'ils viennent des banlieues. Ils n'ont rien à faire, leur vie n'a rien à voir avec la mienne. Ils parlent de l'école comme d'un champ de bataille où ils règlent leurs comptes avec les adultes. Moi je vais à l'école en pensant à l'avenir. Eux, ils y vont comme s'ils allaient en prison. En même temps, je t'avoue que parfois j'ai peur de toute cette violence. J'évite de me trouver là-dedans. Et puis on ne peut même plus parler. On n'a rien à se dire. Ces bandes, elles recherchent des « coups à monter », c'en est lassant. C'est tellement vide, Papa. J'ai l'impression qu'il est trop tard pour rattraper ces jeunes.

– Il n'est jamais trop tard. Mais pour certains, il est déjà tard, bien tard. Si je te dis que le taux de délinquance est plus élevé là qu'ailleurs, m'accuseras-tu de racisme ?

– Ça dépend comment tu le dis ! On lit même dans les journaux qu'ils sont de plus en plus jeunes à traîner, à « dealer », à voler des bricoles.

– C'est vrai. On sait que les pourcentages du chômage, dans les quartiers, correspondent à ceux des infractions. Les spécialistes des banlieues nuancent le tableau : ils démontrent que ces infractions sont très spécifiques. Il y a celles qui ne peuvent être le fait que des étrangers : les infractions à l'entrée et au séjour. Elles sont comptabilisées avec les autres ! Et puis, les étrangers ou leurs enfants sont plus souvent condamnés que les Français de souche pour vols, recels, faux en écriture, petits « deals ». Mais ils sont moins souvent condamnés que leurs concitoyens français pour les coups et violence, les blessures et homicides involontaires, les infractions à la circulation et aux transports.

– Et qu'est-ce que tu en déduis ? Qu'il faut aussi

plus de répression ? C'est vrai que lorsque tu te fais chaparder ton blouson dans le métro ou attaquer dans la rue, il y a de quoi se révolter. Surtout, d'ailleurs, contre la police ! Je te dis pas comment on t'accueille dans les commissariats : « on n'y peut rien », « faites votre déclaration », « au revoir » !

– Tant qu'il y aura de la misère, ma fille, il y aura de la violence. L'une entraîne l'autre. Les infractions commises par les étrangers sont typiquement liées à une forme ou une autre de misère. Mais la violence est partout. Il est injuste d'accuser seulement les enfants des quartiers défavorisés. Ne crois-tu pas que la plus grande des violences, c'est encore celle qui produit la misère et le désespoir, c'est-à-dire celle d'un système qui empêche les gens de gagner honnêtement leur vie par le travail ? Et puis, surtout, il faut éduquer, éduquer, éduquer. C'est le plus difficile. Mais c'est le plus important. La famille ne fait plus ça aujourd'hui. C'est la télévision, le véritable éducateur à la maison. Et la télévision, tu sais ce que j'en pense…

L'immigration, aujourd'hui et demain

– Si je comprends bien, Papa, la France a un problème pour l'intégration des immigrés et un problème d'immigrés qui ne sont pas intégrés. Ces deux problèmes sont liés. C'est pour ça qu'on dit qu'il faut arrêter l'immigration. Mais en même temps, la France est un pays d'immigration. Je me demande comment on pourra résoudre toutes ces questions à la fois !

– C'est vrai, la France s'est faite grâce à l'immigration et on a tendance à nier cette réalité et à prétendre qu'aujourd'hui cela n'a plus aucun sens. Mais la réalité du monde, c'est que chaque nation cherche d'abord à vouloir continuer à être ce qu'elle est. Les nations n'aiment pas le changement. Il peut signifier leur propre disparition. C'est pourquoi la nation se fixe des règles d'évolution, délimite avec soin son territoire, sa nationalité, son rapport à l'étranger. Les lois sur l'immigration en sont un exemple. Dire que la France est un pays d'immigration ne signifie pas que les frontières soient ouvertes. Il n'y a pas, aujourd'hui, un seul pays au monde qui autorise la libre installation des étrangers chez lui. Plus, il n'y a pas un seul pays qui autorise pour les étrangers la libre circulation sur son territoire sans la contrôler étroitement. C'est comme ça. Et je te dirai que, malheureusement, ce sont les États les plus faibles qui subissent aujourd'hui les plus fortes immigrations, car ils n'ont pas les moyens de résister à la pression migratoire. Les migrations les plus nombreuses se font ainsi à l'intérieur des régions les plus pauvres de la planète : Afrique, Asie, Amérique latine. Mais la pression est également importante sur les pays développés : Occident européen, Amérique du Nord, parce qu'ils sont riches, pourvoyeurs d'emplois et qu'ils offrent aussi des garanties sociales à ceux qui parviennent à s'y intégrer : droits sociaux, bon système hospitalier, respect des droits de l'homme, etc. Ce qui est sûr, c'est que ces mouvements et cette pression vont continuer pour longtemps encore.

– Mais est-ce qu'on est sûr de ça, Papa ? On peut aussi dire que ça dure depuis des siècles, et qu'on a toujours pu intégrer les nouveaux venus. Et puis, les gens n'émigrent pas facilement. Tu dis toi-même que l'immigré a le droit d'aimer son pays, et de vouloir y retourner. On peut par exemple penser qu'ils viennent pour un certain temps, et qu'ils repartent. C'est vrai qu'il y a des difficultés pour l'intégration, mais tu ne crois pas qu'on fait peur, aussi, aux gens avec cette idée de l'invasion des sociétés riches par les pauvres ? La situation est-elle vraiment nouvelle ? Et puis, après tout, les pays riches ont aussi, dans le passé, agressé et occupé les pays pauvres.

– Le monde subit actuellement un profond bouleversement économique qui entraîne des déplacements de population. Tu peux penser le contraire, mais c'est la réalité. Les êtres humains se sont toujours déplacés à la recherche du mieux-être. Aucun attachement, que ce soit à la famille, au clan, à la tribu, au village, à la ville et même à la nation, ne suffit à dissuader les gens de partir lorsqu'ils ne croient plus en leur avenir, là où ils vivent. Et ils vont en général là où ils peuvent changer leur situation. Le salaire minimum mensuel en France représente, dans certains pays d'Afrique ou d'Asie, le revenu d'une année de travail. Tu vois l'intérêt, pour l'émigrant, y compris s'il doit vivre dans des conditions lamentables en France ! A cette pression produite par la misère s'ajoute celle qui résulte de la croissance démographique. Les populations pauvres sont jeunes, dynamiques. Les populations des pays riches sont de plus en plus vieilles et n'aiment pas beaucoup bouger. Ces vingt dernières années, au Maghreb et en Afrique, la croissance de la population dépasse les 3 % par an. En 1960, le Maroc comprenait à peu près 9 millions d'habitants. Il en a aujourd'hui 30 millions. Même chose pour l'Algérie. Même chose pour tous les pays d'Afrique noire. Et d'Asie. Or, surtout en Afrique, le développement économique, qui aurait pu répondre à cette croissance démographique, n'a pas suivi. Les sociétés des pays du Sud se sont modernisées, mais cette modernisation a servi à certains, les moins nombreux, et a écrasé les autres, les plus nombreux. Ces sociétés sont partout en crise : elles se défont souvent en batailles entre les ethnies, les confessions, les tribus.

– C'est donc ça qui justifie ce que tu appelles la *maîtrise* de l'immigration ? La peur de l'invasion ? Est-ce qu'on est sûr que ces gens vont venir en France ?

– Il y a en fait deux questions auxquelles il n'est pas facile de répondre : comment contrôler ces mouvements migratoires pour sauvegarder notre système social, politique et culturel et, à la fois, éviter de renoncer à la solidarité humaine ? Comment faire pour que l'immigration serve aussi le pays d'origine, donc pour agir sur les causes mêmes qui produisent l'émigration ? A la première question, la réponse est connue : une politique de contrôle aux frontières pour maîtriser les entrées, une politique de séjour fondée sur le droit à l'intégration, une vraie lutte contre le racisme et la xénophobie. C'est ce que dit la loi sur l'entrée et le séjour du 11 mai 1998. Cette loi corrige les effets néfastes des lois de 1993. Celles-ci, je te l'ai déjà dit, avaient pour fonction de verrouiller policièrement les frontières, mais elles ont eu aussi pour conséquence de déstabiliser l'immigration légalement installée. Sous prétexte de lutter contre l'immigration clandestine, on avait mis en place des règles qui attaquaient toutes les catégories d'immigrés. Quatre années plus tard, la loi dite « Debré » a voulu renforcer encore davantage le caractère policier de ces lois, qui provoquaient la déstabilisation des immigrés.

– Si je m'en souviens ! C'était mes premières grandes manifs ! Même nos profs, au lycée, nous disaient qu'il fallait y aller ! Ma prof d'histoire nous a fait, à cette occasion, un cours sur les migrations en France. Cela, je m'en souviendrai toujours. C'est pourquoi je ne comprends pas qu'avec la nouvelle loi le problème ne soit pas réglé, puisqu'il y a encore des *sans-papiers*.

– Minute, tu veux ? La nouvelle loi commence à peine à être appliquée. Elle ne peut faire disparaître immédiatement les situations difficiles, souvent provoquées par les anciennes lois. Mais elle devrait, à l'avenir, améliorer les choses : elle renforce les droits de ceux qui sont régulièrement installés et permet à certains étrangers d'entrer plus facilement en France. Tu veux des exemples ? Elle crée un nouveau titre de séjour temporaire pour les chercheurs, les artistes et les personnes venant dans le cadre du regroupement familial ou pour des raisons de vie privée ; elle assouplit les conditions de regroupement familial et supprime le certificat d'hébergement (ce document que la famille devait obtenir pour accueillir l'étranger chez elle et que les maires refusaient parfois de délivrer sans raison), elle élargit les conditions d'accès à l'asile pour mieux répondre aux nouvelles formes de persécutions provoquées par les conflits contemporains et, enfin, elle rétablit l'égalité des droits sociaux entre Français et immigrés en permettant à ces derniers d'avoir accès à toutes les prestations sociales.

– Quand tu dis « égalité des droits sociaux », ça veut dire qu'il n'y a pas de différence entre Français et étrangers ? Pourquoi certains parlent alors de *préférence nationale* ?

– La préférence nationale, c'est une idée hypocrite qui veut faire croire qu'il faut donner des droits aux Français qu'on refuse aux immigrés, lorsqu'ils sont pourtant régulièrement installés, parce qu'ils sont étrangers. Il s'agit surtout de leur refuser les aides sociales, ce qui est parfaitement injuste puisque les étrangers vivent en France dans les mêmes conditions que les Français : ils cotisent à la Sécurité sociale, paient leurs impôts. Pourquoi devraient-ils payer pour aider ceux qui ont perdu leur emploi, permettre à tous d'aller à l'école ou de se soigner et ne pas pouvoir, eux, être aidés lorsqu'ils sont au chômage ou malades ? Ceux qui refusent ces droits aux immigrés font du racisme social. Le premier parti à avoir soutenu cette position en France, au début des années 80, fut un parti d'extrême droite. Depuis quelques années, certaines idées de ce parti ont été adoptées par beaucoup d'électeurs, surtout de la droite. La plupart des dirigeants de cette droite refusent d'utiliser ces idées, mais d'autres, parce qu'ils y croient ou qu'ils veulent s'en servir pour gagner des voix aux élections, n'hésitent pas à le faire. Certains semblent d'ailleurs penser qu'on pourrait maîtriser les flux migratoires en rendant l'immigration moins *attractive*, en supprimant aux étrangers les droits sociaux. Ces politiciens sont dangereux. Leurs propos attisent la haine, alors qu'ils savent bien que la loi nationale et internationale interdisent, en la matière, toute discrimination.

– D'accord. Mais ne pas donner des papiers aux gens, n'est-ce pas aussi une façon d'instaurer la discrimination ? Tu m'as expliqué que les lois de 1993 avaient provoqué des situations où des gens qui avaient auparavant des papiers ne parvenaient plus à les prolonger. Tu m'as toi-même amenée à l'église Saint-Bernard du XVIIIe arrondissement, où ces immigrés s'étaient regroupés et réfugiés. C'était pendant l'été 1996, je crois. La police les a délogés en défonçant la porte à coups de hache. Il y avait même des stars avec eux : Emmanuelle Béart.

– Tout à fait. C'est à cause de cette situation que le nouveau gouvernement a proposé, le 24 juin 1997, une circulaire pour régulariser la situation de tous ceux qui y avaient droit. Ce texte veut permettre aux personnes tombées dans l'irrégularité à cause des lois de 1993 de retrouver des conditions de vie normales. Le gouvernement a donc repris les propositions qui avaient été faites à l'époque par la Commission nationale consultative des droits de l'homme (organisation de personnalités diverses et indépendantes de l'État). Ces propositions, c'était surtout des critères sur l'intégration (liens familiaux en France, ancienneté de la présence dans le pays, etc.) à partir desquels pourraient être régularisés les *sans-papiers*. Ces critères étaient tolérants, mais ils laissaient aux préfectures le soin d'en juger.

– Il paraît qu'elles ne se privent pas d'utiliser ce privilège !

– Dans l'ensemble, elles se sont plutôt bien comportées. Il y a certes parfois des pratiques arbitraires. Contre cela, la loi prévoit des recours.

– C'est la seule manière de ne pas demeurer *sans-papiers* à vie !

– D'accord, mais les *sans-papiers* ont aussi des papiers. Ceux de leur pays d'origine. Ils sont donc étrangers sans droit au séjour en France : ce n'est pas gai, et ce n'est pas la loi qui en est toujours coupable. Mais celle-ci ne doit pas être appliquée inhumainement.

– Facile à dire, Papa. Mais il y a encore des grèves de la faim, des occupations d'églises, des manifestations !

– En effet. Mais encore ? La loi peut ne pas prévoir toutes les situations. Ces mouvements ont parfois le mérite d'attirer l'attention sur des ratés, des verrous, des pratiques arbitraires. Alors, l'État a deux solutions : ou il se cabre ou il écoute. Moi je crois qu'il écoute, maintenant. Des commissions ont donc été mises en place, qui ont cherché à répondre à ces interrogations. C'est comme ça que les choses avancent.

– Et la double peine, Papa, dont les journaux parlent régulièrement ? Les associations qui défendent les immigrés la dénoncent en disant que les étrangers sont ainsi punis *deux fois* au lieu d'une.

– Non, justement. La double peine concerne ceux qui sont condamnés sévèrement pour un délit grave – par exemple avoir tué une personne, violé une femme ou participé à un trafic de drogue. S'il s'agit d'un citoyen français, la condamnation peut être assortie d'une peine dite « complémentaire » de suppression de ses droits civiques : il ne peut plus voter, voyager à l'étranger, n'obtient plus, en somme, la confiance de la société. Or, quand un étranger est condamné pour le même type de motifs, on ne peut lui imposer la peine complémentaire, car il n'est pas français. La seule peine complémentaire possible, c'est l'expulsion vers son pays d'origine. C'est ce qu'on appelle la double peine.

– D'accord, mais que signifie être étranger pour ceux qui sont arrivés à l'âge d'un an avec leurs parents, comme c'est le cas de certains jeunes grévistes de la faim ? Ceux-là aussi doivent être expulsés ? La République, tu m'en parles tellement, a-t-elle besoin d'être si dure ?

– C'est vrai que dans certains cas, pour les jeunes qui ont passé toute leur enfance en France, la règle peut paraître bien sévère. Mais la loi est la même pour tous. Elle ne fait pas de différence entre ces jeunes, que le destin a contrariés dans leur intégration à la société française, et le malfrat qui truande, vend de la drogue ou l'imam qui vocifère des prêches intégristes enflammés contre le pays d'accueil.

– Avec tout ça, l'intégration, c'est pas pour demain !

– L'intégration concerne les immigrés, mais pas seulement eux. Il n'y a aucune raison de parler d'intégration seulement pour eux. A partir du moment où ils ont des droits reconnus et stables, respectent les devoirs liés à leur statut en France, ils doivent être considérés comme tous les Français. S'ils bénéficient de programmes d'aide particuliers, ce n'est pas parce qu'ils sont immigrés, mais parce qu'ils vivent dans des conditions sociales difficiles, parce qu'ils subissent le chômage et habitent dans des quartiers défavorisés. On n'a pas besoin d'être savant pour savoir ce qu'il faut faire aujourd'hui pour favoriser l'intégration : casser les ghettos urbains, créer des emplois, favoriser la formation professionnelle, dynamiser l'éducation républicaine pour renforcer l'adhésion aux valeurs de la société française. Et lutter, inlassablement, tous les jours, contre la xénophobie et le racisme. La xénophobie concerne les étrangers en général. Le racisme est dirigé contre des groupes humains en particulier. L'intégration sociale ne suffit donc pas. Elle doit être appuyée par une intégration culturelle fondée sur le respect de l'autre. C'est ainsi qu'on respecte nos propres valeurs.

Les immigrés et la politique

– Si les immigrés pouvaient voter, peut-être que les hommes politiques les respecteraient davantage ? On dit que dans une démocratie, chaque voix compte. Les politiciens en veulent beaucoup pour être élus. Ils font des promesses pour que les gens votent pour eux. Voter, Papa, c'est avoir un moyen de pression, ça sert pour se défendre.

– Tu poses un vrai problème, celui de l'exercice des droits politiques, c'est-à-dire le droit de voter et d'être élu. Les immigrés qui sont devenus français votent comme tous les Français ; cela veut dire que le droit et la tradition françaises font de la nationalité et de la citoyenneté un même acte : voter veut dire être citoyen, et être citoyen veut dire être français. Quand un étranger est installé depuis longtemps en France, il participe de fait à la vie du pays. Mais il n'a pas pour autant décidé de devenir français. Il n'a donc pas le droit de voter. Et l'État français, qui a toujours conçu le droit de vote comme expression de la nationalité, ne peut pas faire une exception pour les immigrés, même s'ils sont installés en France depuis longtemps. Certains disent qu'il faut séparer la citoyenneté de la nationalité. Pour eux, il faut permettre aux immigrés de voter et d'être éligibles aux élections *locales*. Mais il y a une certaine ambiguïté dans cette proposition, parce qu'on crée ainsi une catégorie de citoyens avec des demi-droits. Pourquoi en effet accorder le droit de vote aux étrangers dans la commune, aux élections municipales et pas dans la nation, aux élections législatives ? L'État n'aime pas ces situations ambiguës. Mais on peut aussi voir l'aspect positif de cette proposition. Car l'immigré qui possède ce droit peut aussi le concevoir comme une voie de passage vers l'acquisition de la nationalité.

– Mais les Danois ou les Allemands, par exemple, ils peuvent voter maintenant dans la ville française où ils habitent. C'est ça, la citoyenneté européenne. Les étrangers qui ne sont pas européens en sont privés : au nom de quoi ?

– Oui, il s'agit là d'une décision européenne qui crée en France et dans d'autres pays européens une situation plutôt étrange. Effectivement, un Allemand, un Danois ou un Grec peuvent voter dans leur ville de résidence s'ils y sont installés depuis cinq ans au moins, alors qu'un Algérien, un Américain ou un Chinois qui vit en France depuis 20 ans ne le peut pas. Il s'agit là d'une mesure discutable, qui introduit une injustice incompréhensible vis-à-vis d'étrangers qui sont présents souvent depuis très longtemps en France et qui n'envisagent pas de vivre ailleurs. Certains ne vont pas manquer de parler d'*apartheid* communautaire, en désignant ainsi une société qui favorise les bénéficiaires de la Communauté européenne face à tous les autres.

– Encore un problème !

– Oui. On dirait qu'on prend un malin plaisir à les créer.

– De toute façon, tout ça n'arrêtera pas les migrations !

– C'est vrai. Nous devons donc nous préparer à gérer les migrations en les organisant, dans notre intérêt et celui du pays d'origine.

– Ces pays préfèrent peut être se débarrasser de leur population pauvre ?

– C'est justement à ces questions qu'il faut désormais chercher à répondre ensemble : gouvernements des pays d'origine et France. On ne doit plus accepter l'idée qu'on reçoit les émigrés lorsqu'ils correspondent aux besoins du moment, et qu'on les rejette dès qu'on n'en a plus besoin. Les partis extrémistes profitent de ce rejet pour attiser le racisme et la xénophobie. Ils pourrissent ainsi la vie quotidienne. Les immigrés eux-mêmes vivent cette situation comme une espèce de malédiction. Les relations avec les pays d'origine deviennent difficiles ; l'image de la France à l'étranger, détestable. Et l'immigré qui a la chance de pouvoir accéder en France à un titre de séjour, fût-il provisoire, ne pense qu'à une seule chose : ne pas quitter le territoire français, de peur d'en être refoulé s'il veut revenir. Les migrations, c'est fort probable, vont continuer. Il ne faut plus les subir. Il faut les prévenir. Fermer les frontières ne suffit pas. Et c'est souvent inefficace. Il faut tenter d'agir aussi sur les causes qui produisent les départs. Tu vois, moi, je suis convaincu que l'émigration, c'est toujours un arrachement douloureux pour celui qui l'entreprend. Si les gens vivaient dans de bonnes conditions chez eux, ils n'auraient pas envie de quitter leur pays. Ils partiraient en vacances à l'étranger, comme nous, mais seraient heureux de revenir chez eux !

Loi européenne, loi nationale pour l'immigration

– S'il est si difficile pour chaque pays européen d'avoir une bonne loi pour l'immigration, est-ce qu'une loi européenne ne permettrait pas de régler la situation ? Comme ça, au moins, les immigrés sauraient à quoi s'en tenir partout !

– Imagine-toi que si c'était si facile, on y aurait déjà pensé ! Seulement, l'immigration n'est pas une sorte de pierre qu'on peut déplacer à volonté. C'est une réalité humaine. Les gens vont là où ils peuvent trouver un accueil : familles, connaissances, amis, etc. Et ils y vont aussi en fonction des relations entre leur pays et le pays où ils veulent travailler : un Malien ira plus facilement en France qu'en Hollande. La diversité des lois sur l'immigration tient donc aussi à la diversité des relations entre les différents pays européens et les pays de départ. Mais il y a aussi une tentative pour mettre en place des lois communes d'entrée sur le territoire européen. Je t'ai parlé des accords de Schengen : ceux-là visent essentiellement le demandeur d'asile. Le principe en est assez simple : si un étranger obtient le droit d'entrée dans un État européen, il obtient aussi le droit de circuler dans tous les États européens. S'il est refusé par l'État auprès duquel il a fait sa demande d'asile, les autres États signataires des accords peuvent le refuser automatiquement…

– C'est bien commode lorsqu'on ne veut pas accueillir de nombreux demandeurs d'asile !

– Exactement. Et c'est d'autant plus commode que le demandeur d'asile ne peut déposer qu'une demande à la fois auprès d'un seul État de l'espace Schengen. Mais note quand même que les États signataires ne sont pas obligés de refuser un demandeur rejeté par un autre État. Ils conservent le droit de l'accueillir : le demandeur d'asile ne pourra alors se rendre dans aucun autre pays de l'espace Schengen en dehors de celui qui l'a accueilli. Les immigrés les plus visés par ces accords sont d'abord ceux qui viennent des pays du Sud. Le Sud fait peur, ma grande, alors que la pauvreté du Sud devrait inciter à la solidarité, y compris pour les migrations ! Notre monde n'est pas très solidaire, je n'ai pas besoin de te faire un dessin…

– Mais ces accords entre pays européens signifient que tous les pays devront avoir la même attitude vis-à-vis des immigrés. Or tu m'as dit qu'on ne pouvait comparer les autres pays d'Europe à la France, alors ?

– Et pour cause : la France est un vieux pays d'immigration, qui estime, aujourd'hui, ne pas pouvoir accueillir de nouveaux et nombreux émigrés. La principale raison de ce refus, c'est la mauvaise situation économique et le chômage. Cela ne sera pas éternel. Mais, pour l'instant, la loi contrôle les entrées et le séjour de façon assez rigoureuse. Ce n'est pas la même chose en Espagne, en Italie, au Portugal ou en Grèce. Ce sont de nouveaux pays d'immigration (alors qu'auparavant ils étaient des pays d'émigration, c'est-à-dire d'où partaient les émigrés). Les Italiens, par exemple, avec la loi du 6 mars 1998, veulent gérer de façon efficace l'entrée sur leur territoire, mais sans interdire l'embauche des travailleurs étrangers. Ils croient qu'ils pourront ainsi réduire le travail non déclaré. Ils ont supprimé, dans leur loi, la règle selon laquelle un employeur n'a pas le droit d'embaucher un travailleur étranger sans avoir auparavant vérifié qu'aucun travailleur italien ne pouvait répondre à son offre de travail. L'État italien prévoit même la création d'un visa d'entrée pour l'étranger afin qu'il puisse chercher un emploi en Italie. Mais, n'importe quel travailleur ne peut pas entrer comme il veut en Italie ; il faut que sa nationalité ou sa profession corresponde aux quotas annuels (c'est-à-dire au nombre de travailleurs dont on pense avoir besoin) fixés par le gouvernement. L'objectif de cette ouverture aux travailleurs étrangers est, en plus, de répondre souplement aux besoins du marché du travail, de réduire le plus possible l'immigration illégale. En Espagne, la loi de 1985 instaure également le système des quotas par nationalités et secteurs d'emploi. En fait, aussi bien en 1991 qu'en 1996, cette loi a servi à régulariser les immigrés en situation irrégulière.

– Mais tout cela ne concerne que les pays du Sud de l'Europe. Ces pays sont plus pauvres que les pays du Nord. Curieuse situation, tu ne trouves pas ?

– Non, car ces pays du Sud n'étaient pas, jusqu'à il y a peu, des pays d'immigration. Ces pays fournissaient des émigrés aux pays du Nord. Maintenant, ils sont devenus des pays qui ont besoin d'immigrés, pour leur marché du travail. Quant aux pays du Nord, l'Allemagne mérite vraiment qu'on s'y arrête : c'est un cas intéressant.

– Tu m'as dit que les Allemands avaient une conception *ethnique* de la nationalité, font-ils de même pour l'immigration ?

– Non, bien sûr. Ce n'est pas parce que leur conception de la nationalité était ethnique qu'elle était automatiquement raciste ! Elle peut conduire plus facilement à cette extrémité, mais l'Allemagne est un pays démocratique et les mentalités évoluent lentement vers une conception citoyenne de la nationalité. Il y a certes un lien entre la politique que l'Allemagne met en œuvre à l'égard de l'immigration et sa conception de la nationalité. L'Allemagne considère que les immigrés n'ont pas vocation à rester dans le pays parce qu'ils ne peuvent pas devenir partie intégrante de la nation allemande. Leur politique est donc orientée vers le *retour* des immigrés dans leurs pays d'origine. Ce qui les intéresse d'abord, c'est que les travailleurs étrangers puissent venir en cas de besoin, puis repartir. Ils ont donc élaboré, avec les États d'origine (Pologne, République tchèque, Slovaquie, Hongrie, Turquie, etc.) des accords qui réglementent les *allers et retours* des travailleurs. Le regard de l'Allemagne sur les immigrés est totalement utilitaire : les immigrés doivent servir l'économie du pays, puis disparaître. Mais, au-delà de ce refus de l'Autre, il y a dans cette vision deux dimensions positives : d'une part, l'idée qu'il faut gérer l'immigration en commun avec le pays d'origine ; d'autre part, un échange plus intense avec ces pays. Et ceux-ci peuvent profiter de l'expérience et de la formation acquises par leurs travailleurs en Allemagne. Ainsi, l'Allemagne crée les conditions pour qu'ils puissent repartir chez eux. C'est une conception moins généreuse que la française, mais plus réaliste, surtout si l'on accepte l'idée que les immigrés doivent aussi aider leur pays d'origine.

– C'est le contraire de ce que nous faisons en France !

– Oui et non. Oui parce que nous reconnaissons d'abord un droit au séjour et nous partons de l'idée que ce droit ne peut être retiré lorsque ce qui l'a rendu possible, le travail, a disparu. C'est notre conception universaliste des droits de l'homme. Non parce que nous n'accordons ce droit que dans des conditions assez précises, définies par la loi (travail, vie familiale, asile, etc.). Donc il y a aussi chez nous une dimension utilitaire, certes moins importante et moins immédiate que chez les Allemands.

– Moi, je trouve que le système allemand n'est pas si mauvais, il tient compte des besoins des pays pauvres.

– Certes, ma grande. Mais il y a le revers de la médaille : une population de passage aura toujours moins de droits, elle sera plus maltraitée et travaillera dans des conditions plus mauvaises, même si la loi cherche à limiter ces dérapages. Ce n'est pas très conforme à l'idée d'égalité des droits !

– Et nous, en France, est-ce qu'on ne pourrait pas avoir à la fois une bonne intégration des immigrés qui veulent rester et des solutions comme celles de l'Allemagne avec les pays d'origine ? Cela permettrait de les aider et d'agir, comme tu dis, sur les causes de la misère.

Une politique solidaire avec le Sud

– Écoute, l'avenir des pays d'origine des immigrés dépend d'abord d'eux-mêmes. Nous ne réglerons pas leurs problèmes à leur place. Ils doivent trouver les meilleurs moyens pour y faire face. Il faut les aider à construire de vrais États de droit, qui respectent les droits de l'homme et du citoyen. Ce n'est pas une formule vide. Les droits du citoyen, c'est de pouvoir, entre autres choses, lutter chez soi pour améliorer ses conditions de vie. Ensuite, nous devons aider ces États à accéder au progrès technologique et au développement économique. Ils pourront ainsi mieux satisfaire les besoins de leur population. Enfin, et c'est peut être le plus important, nous devons inciter les immigrés originaires de ces pays, et installés en France et en Europe, à aider leur pays. Il ne s'agit donc pas seulement de coopérer avec ces pays par le commerce, ou par l'aide directe en argent, ou la formation des techniciens. Il s'agit de se servir de l'immigration pour développer ces pays. C'est ça, le *codéveloppement*.

– Tu veux dire que les immigrés doivent travailler en France pour aider leur pays ? Mais ils sont partis de ce pays d'abord pour mieux vivre en France.

– En fait, l'immigré installé en France ne perd pas immédiatement le contact avec le pays d'origine, le village, la famille. Cela finit bien par arriver un jour, s'il se fixe définitivement en France. Mais en général ça prend des années, voir une génération, pendant lesquelles il envoie de l'argent au pays pour aider la famille. Certains ne sont pas sûrs de vouloir rester en France. Ils se construisent alors une maison, ils épargnent pour monter un commerce, une petite entreprise, bref quelque chose qui montre qu'ils ne se sont pas déracinés pendant des années pour rien. D'autres vont plus loin : les Marocains, par exemple. Voilà, avec les Maliens, des immigrés très attachés à leur pays. Je connais une association de modestes travailleurs marocains qui, sans l'aide de personne, a financé l'électrification de plusieurs villages dans leur région d'origine. Ils veulent maintenant construire des écoles, des petits hôpitaux, des centres culturels, des commerces, des petites entreprises dans ces régions reculées du Maroc et du Mali. Ils gèrent pour cela leur épargne collectivement, en France, et envoient l'argent pour servir collectivement. Ils montent des petites entreprises individuelles ou collectives, parce qu'ils savent qu'ils ne peuvent compter que sur eux-mêmes pour réussir. Et sais-tu pourquoi ils le font ? Parce qu'ils ne veulent pas que leurs enfants émigrent, que leur femme émigre, que leurs voisins émigrent. Ils savent que l'émigration n'est pas une chose facile. Et que le racisme attend l'émigré. Eh bien, moi, je crois qu'il faut aider ces gens !

– Il faut donc les aider à aider leur pays d'origine ?

– C'est un peu cela. Mais tout le monde doit s'y mettre. Il faut aussi associer les entreprises privées qui investissent dans ces pays, leur demander de contribuer à la formation des ouvriers dont elles ont besoin sur place. Il faut faire appel aux mairies en France, aux conseils généraux et régionaux, qui ont souvent des immigrés en provenance de villes, villages et régions avec lesquels ils établissent des relations. On appelle ça la *coopération décentralisée*, c'est-à-dire que les relations entre ces villes et celles des pays étrangers ne sont pas définies seulement par les relations entre les États. Il y a en France des régions et des mairies pilotes. Ainsi, dans la région parisienne, la ville de Montreuil avec la ville de Kayes au Mali, la région du Nord-Pas-de-Calais, la ville d'Angers, la région Provence-Alpes-Côte d'Azur, je pourrais t'en citer d'autres. Voilà des élus, des gens qui font beaucoup pour aider, mais dont les journaux ne parlent jamais. Il y a aussi les organisations non gouvernementales (ONG), c'est-à-dire les organisations privées dont le but n'est pas de faire des bénéfices, mais de rendre service à la collectivité, et il y a le mouvement associatif des immigrés eux-mêmes. Il faut les aider. La loi, en 1981, a permis que les étrangers puissent s'organiser en associations dites associations 1901. Les étrangers se sont beaucoup battus pour bénéficier de cette loi. Aujourd'hui, il y a des milliers d'associations d'immigrés en France. C'est un réseau fantastique, original, efficace, volontaire. Il a des dizaines de milliers de membres. Il faut les associer à cette politique de codéveloppement, parce qu'ils connaissent à la fois les possibilités en France et les besoins précis, concrets du pays d'origine, du village, du quartier d'où ils viennent. Ils sont la solidarité vivante avec le Sud. Il faut aussi que les universités françaises adaptent leurs formations pour les étudiants étrangers en fonction des besoins de leur pays. Sais-tu que beaucoup d'étudiants viennent étudier ici et restent définitivement ? C'est scandaleux, parce que c'est une perte sèche pour les pays d'origine. Ceux-là ont payé la formation primaire, secondaire et supérieure et nous, nous profitons du reste, c'est-à-dire de la formation spécialisée qu'ils acquièrent ici.

– C'est peut-être aussi, Papa, qu'ils ne trouvent pas de travail chez eux ? Et puis, quand on a vécu des années dans un pays, c'est pas facile d'en repartir.

– Et après ? Ils le savaient *avant* de partir. Autant je comprends le travailleur qui n'a pas envie de retourner chez lui parce qu'on ne lui a rien donné avant de partir, ni éducation ni pain, autant je ne comprends pas l'étudiant qui refuse de retourner chez lui alors qu'on lui a payé son éducation avant le départ et souvent pendant son séjour en France, grâce aux bourses. C'est le devoir minimum du citoyen que de rendre à sa patrie ce qu'elle a fait pour lui. Ce sont les pauvres citoyens de ces pays qui ont payé l'éducation de ces étudiants. Quant à la France, elle ne peut pas vouloir aider ces pays et en même temps leur piller leurs cadres scientifiques et techniques. Il faut savoir ce que l'on veut.

– Quel programme ! Tu es optimiste, Papa. Mais il faudra beaucoup de patience pour faire admettre ça à tous ceux qui sont concernés !

– Nous devons au moins changer notre regard sur l'immigration. C'est parce que nous voyons l'immigration comme « problème » que nous n'arrivons pas à résoudre ce « problème ». Or, l'immigration n'est pas un problème. C'est une donnée naturelle de l'histoire de chaque société, de chaque peuple. La France seule ne pourra pas régler les questions aujourd'hui posées par le déplacement des populations pauvres qui cherchent à vivre décemment. Il faut aussi que l'Europe prenne ses responsabilités. La France reçoit surtout des immigrés du Maghreb et de l'Afrique noire, mais aussi de l'Asie et des pays de l'Est. L'Allemagne reçoit des Turcs, des Marocains, des Polonais et des Russes. l'Angleterre surtout des Asiatiques, Africains et Caribéens ; l'Espagne des Marocains, des Latinos-Américains, des Philippins – chaque pays attire des nationalités auxquelles il est lié par son histoire passée et présente. Aucun ne pourra faire face, seul, à ces flux migratoires. Il faut des politiques nationales et une politique européenne, puisqu'on parle tant de l'Europe !

– D'accord, Papa, mais quel travail il reste à faire !

– Je serais déjà satisfait si toi, au lycée, tu commençais à expliquer cela autour de toi.

RÉALISATION: PAO ÉDITIONS DU SEUIL
IMPRESSION : NOUVELLE IMPRIMERIE LABALLERY À CLAMECY
DÉPÔT LÉGAL: JANVIER 1999. N° 35453-9 (011068)